ЛЮБИМЫЕ КНИГИ ДЕТСТВА

ВОЛШЕБНЫЕ СКАЗКИ АНГЛИИ

ХУДОЖНИК АНАТОЛИЙ ИТКИН

Переводчик М. Литвинова

РИПОЛ
КЛАССИК
Москва • 2014

СОДЕРЖАНИЕ

КОЛОДЕЦ
НА КРАЮ СВЕТА

Давным-давно жила бедная девушка с мачехой. Раз даёт ей мачеха решето и велит принести воды из колодца, того, что на краю света.

— И смотри, — говорит, — полное принеси.

Опечалилась девушка: где найти колодец, что на краю света, да и как воду решетом зачерпнуть? Пустилась, однако, в путь. Идет, и так у неё тяжело на сердце. Кого ни спросит, где тот колодец, никто не знает, хоть назад возвращайся. Вдруг повстречалась ей сгорбленная старушка.

— Скажите, пожалуйста, — спросила девушка, — вы не знаете, как найти колодец, что на краю света?

— Знаю, доченька, — ласково ответила старушка и показала ей дорогу к колодцу.

Поблагодарила девушка, пошла, как было велено. И нашла колодец, что на краю света.

Но конечно, дело на этом не кончилось.

Черпает девушка решетом воду, а вода обратно выливается, к тому же холодная-прехолодная. Сколько раз черпала — не сосчитать.

Села девушка на край колодца и заплакала.

Вдруг слышит, чей-то скрипучий голос спрашивает:

— Что с тобой, милая девушка?

Подняла она голову: сидит рядом огромная лягушка и глазища на неё таращит.

— Что ты плачешь? — повторил тот же голос.

Поняла девушка — это лягушка её спрашивает.

— Как же мне не плакать, — отвечает она сквозь слезы.

И рассказала лягушке, как долго искала колодец, нашла наконец, да никак не может воды в решето набрать. А мачеха непременно велела полное принести.

— Обещай исполнить всё, о чём попрошу этой ночью, — говорит лягушка. — И я твоему горю помогу.

— Как же ты мне можешь помочь?

— Научу решетом воду черпать.

Вид у лягушки был нестрашный. «Что плохого может сделать простая лягушка?» — подумала девушка и дала обещание.

Мохом заткни и глиной замажь,
Вот и исполнишь мачехи блажь, —

проквакала лягушка и — плюх! — нырнула в тёмную холодную воду колодца, что на краю света.

Сделала девушка, как сказала лягушка: нарвала мху, заткнула дырки в решете и аккуратно глиной замазала. Подсохла глина на солнце, зачерпнула девушка холодной-прехолодной воды, а вода и не выливается. Набрала полное решето и, довольная, пошла домой. Обернулась на прощание, взглянула последний раз на колодец, а лягушка высунула голову и проскрипела вдогонку:

— Не забудь своё обещание!

— Не забуду, — ответила девушка и опять подумала: «Что плохого может сделать простая лягушка?»

КОЛОДЕЦ НА КРАЮ СВЕТА

Обратная дорога показалась ей не такой длинной. Пришла девушка домой и принесла мачехе решето, полное воды из колодца, что на краю света.

Сидят обе вечером у очага, вдруг слышат, кто-то в низ двери стучится. И чей-то голос говорит:

Дверь отопри, мое солнце,
Друг единственный мой!
Помнишь, о чём у колодца
Мы говорили с тобой?

Мачеха, конечно, удивилась, а девушка сразу смекнула, кто к ним пожаловал.

Рассказала всё мачехе, та и говорит:

— Раз обещала, должна исполнить обещанное. Пойди отвори дверь.

Встала девушка, отворила дверь, а на крыльце, конечно, лягушка — огромная, мокрая, вода с неё ручьями льётся и по ступенькам на дорогу течёт.

Прыгнула лягушка в комнату, девушка пошла к своему креслу, лягушка — за ней. Вылупила на неё глаза и скрипит:

Возьми меня на колени,
Друг единственный мой!
Помнишь, о чём у колодца
Мы говорили с тобой?

Не очень-то приятно брать на колени мокрую, холодную лягушку. А мачеха опять говорит:

— Раз обещала, должна исполнить обещанное.

Села девушка в кресло, взяла лягушку к себе на колени. А лягушка такая мокрая, такая холодная — девушку холод до костей пробрал, платье с фартуком насквозь промокли. Целый час так сидели, потом лягушка и говорит:

Скорее меня накорми,
Друг единственный мой!
Помнишь, о чём у колодца
Мы говорили с тобой?

Накормить гостя — дело приятное. Встала девушка с кресла, посадила туда лягушку, а вода с неё так и течёт — целая лужа натекла на полу. Плеснула девушка молока в блюдце, накрошила хлеба и покормила лягушку.

КОЛОДЕЦ НА КРАЮ СВЕТА

Поела гостья – и опять своё:

Возьми меня с собой в постель,
Друг единственный мой!
Помнишь, о чём у колодца
Мы говорили с тобой?

Ох как не хотелось девушке брать с собой в постель мокрую, холодную лягушку. А мачеха говорит:

– Раз обещала, должна исполнить обещанное.

Нечего делать, положила девушка лягушку к себе в постель поближе к стенке, сама легла с краешку. Лежит, пошевельнуться не смеет, упаси бог до холодной лягушки дотронуться.

Всю ночь глаз не сомкнула.

Едва только за окном забрезжило, проснулась лягушка и говорит:

Голову мне отруби,
Друг единственный мой!
Помнишь, о чём у колодца
Мы говорили с тобой?

Услыхала девушка эти слова, и так ей стало жаль бедную лягушку. Пусть она скользкая и холодная, да ведь незлая: помогла ей вчера, научила воду решетом черпать. Нет, не может девушка отрубить ей голову.

А лягушка опять затянула скрипучим голосом:

Голову мне отруби,
Друг единственный мой!
Помнишь, о чём у колодца
Мы говорили с тобой?

Опять не послушалась девушка. В третий раз проскрипела лягушка свою печальную песню. Пошла девушка за топором, посадила лягушку на пол, полились у неё из глаз слёзы, подняла она топор и отрубила лягушке голову.

И как ты думаешь, что случилось? Стоит перед девушкой вместо лягушки прекрасный принц. Взял он её за руку и поведал свою историю: злая колдунья превратила королевского сына в лягушку и сказала, что спасти его может только одно: если найдётся добрая девушка, которая будет всю ночь исполнять приказания мерзкой лягушки. Добрая девушка нашлась, и злые чары наконец-то рассеялись.

Поженились они и поехали в замок короля-отца. Король на радостях устроил пир на весь мир, стали молодые с тех пор жить-поживать и радоваться.

ДЖЕК И БОБОВЫЙ СТЕБЕЛЬ

Жила бедная вдова, и был у неё сын по имени Джек. О таких говорят – лень раньше них родилась. Однако плохого о нём никто не мог ничего сказать, он был добр, приветлив и любил мать, а это ведь уже очень много значит.

Жили они тем, что продавали молоко от своей белой коровы; но вот случилось, перестала корова доиться. Ломает бедная вдова в отчаянии руки и говорит Джеку:

– Что же нам делать? Чем будем жить?

– Не горюй, матушка, – отозвался Джек, – пойду поищу работу.

– Ты уже пытался, да что толку. Все знают, какой ты ленивец. Никто тебя в работники не возьмёт. Давай лучше продадим корову и откроем лавку на ярмарке.

Как раз на другой день была ярмарка. Привязала мать на шею корове верёвку, дала конец Джеку и велела ему идти продать корову подороже.

Не прошёл Джек и полдороги, встречает старуху в лохмотьях.

– Доброе утро, Джек, – поздоровалась старуха.

– Доброе утро, – ответил Джек, а сам удивился: откуда старуха знает его имя?

– Куда путь держишь?

– На ярмарку, хочу корову продать.

– А разве ты умеешь коров продавать? – говорит старуха. – По-моему, ты даже не знаешь, что с чем надо сложить, чтобы пять вышло. Ну скажи, сколько надо взять для этого бобов?

– Знаю. Два в одном кулаке, два в другом и один во рту.

– Правильно, – кивнула старуха. – Вот тебе эти бобы.

С этими словами полезла она к себе в карман и достала пять очень странных бобов – все разного цвета. Джеку они ужасно понравились.

– Если они тебе так нравятся, возьми их, а мне дай корову взамен.

Джек решительно замотал головой.

– Да ты не сомневайся, – говорит старуха, – это не простые бобы. Посади их вечером, а к утру они вырастут до неба.

– До самого неба? – удивился Джек.

ДЖЕК И БОБОВЫЙ СТЕБЕЛЬ

— Конечно до самого, — ответила старуха. — А не вырастут — возьмёшь свою корову обратно.

— По рукам! — воскликнул Джек, отдал старухе верёвку, на которой вёл корову, и сунул пять бобов в карман.

Встретил он старуху не так далеко от дома и поэтому скоро вернулся. Мать, увидев его, удивилась:

— Ты уже вернулся, Джек? Вижу, коровы нет, значит, продал её. Сколько тебе денег за неё дали?

— Ни за что не догадаешься! Да и не денег вовсе!

— Не денег? А что же?

Протянул Джек на ладони пять разноцветных бобов.

— Волшебные! — сказал он. — Посадишь вечером, а к утру...

— Волшебные! — ахнула мать. — Ах ты, дурень этакий, голова безмозглая, — рассердилась она не на шутку. — Ведь у нас и продать-то больше нечего. Такая была чудесная корова! Ни одна корова в нашей деревне не давала столько молока. Ох, Джек, что ты наделал! Погибли мы с тобой.

И бедная женщина залилась слезами. Глянула опять на злополучные бобы, схватила их с ладони Джека и выбросила в окошко. А Джеку велела убираться с глаз долой.

Ничего не ответил Джек матери и пошёл спать. Что ему ещё оставалось делать? Но уснуть он не смог; лежит и думает, а чем больше думает, тем сильнее расстраивается. Очень ему матушку жалко, ишь как она убивается. Да и живот от голода подвело. Мать в сердцах даже не покормила его. Ворочался Джек, ворочался, под конец всё-таки уснул.

Наутро проснулся Джек, чувствует, что-то не так: солнце снаружи вовсю светит, а в комнате почему-то сумерки. Спрыгнул с кровати, и угадайте, что он увидел? Бобы-то упали на землю, ну и, конечно, взошли, да за одну ночь и выросли. Стебли толщиной в руку и так переплелись, ни дать ни взять – настоящая лестница. Выглянул Джек из окна, задрал голову вверх, а конца-то у лестницы и не видно.

Оделся он поскорее, выскочил во двор: бобы и впрямь выросли до самого неба, и со двора не видать верха.

Скоро и мать вышла во двор, тоже немало удивилась. Говорит Джек матери, что полезет по бобовой лестнице на небо, посмотрит, что там делается. Мать, конечно, давай отговаривать, а Джек ни в какую – полезу, говорит, на небо, и всё тут. Ступил на зелёную ступеньку – ничего, крепкая. Полез вверх и скоро пропал из вида.

Лезет Джек, лезет всё выше. Уже руки и ноги заболели, облака внизу клубятся, а зелёная лесенка всё вверх идёт. Наконец долез до самого неба. Смотрит, место незнакомое. Ни домов, ни деревьев, ни одного живого существа, только голые скалы кругом торчат. Заметил, правда, тропинку, в камне выбита, и пошёл по ней. Идет Джек, навстречу ему та самая старуха, которая дала пять разноцветных бобов.

– Ну что, не жалеешь о своей корове? – говорит старуха.

– Как сказать, – почесал в затылке Джек. – Посмотрим, что дальше будет.

– Матушка тебе про отца рассказывала? – спрашивает старуха.

– Не припомню что-то.

– Тогда садись и слушай. Я тебе расскажу.

И поведала Джеку, что отца его убил злой огр-людоед, а потом отнял у матушки всё их имущество. Отец Джека был добрый человек, помогал бедным и всем с ними делился, потому огр и убил его. И не велел матери никому об этом рассказывать. А если она хоть словом обмолвится, огр придёт к ним и сожрёт обоих.

– А где он сейчас? – спрашивает Джек, сжав кулаки.

ДЖЕК И БОБОВЫЙ СТЕБЕЛЬ

Старуха махнула в ту сторону, куда бежала тропа, сказала Джеку, что ему дальше делать, и исчезла, как растаяла.

Отправился Джек дальше. Идёт, идёт, видит — невдалеке огромный дом. Подошел к дому — на пороге стоит великанша.

— Добрый вечер, — сказал ей Джек вежливо. — Дайте мне, пожалуйста, немножко поесть.

Джек ведь ничего со вчерашнего дня не ел: вечером матушка рассердилась и ничем его не покормила, а утром не успел — сразу на небо полез.

— Ты хочешь есть? — отозвалась великанша. — Бедняжка! Да ведь тебя самого съедят, если ты немедленно не уйдёшь. Мой муж — страшный огр, и его любимое блюдо — жаренный на вертеле мальчишка с гренками.

— О, прошу вас, — воскликнул бедняжка Джек, — дайте мне хоть немножко еды! Я уже два дня ничего не ел. И мне всё равно, как умереть — с голоду или на вертеле.

Пожалела великанша Джека, пригласила на кухню, дала ломоть хлеба, кусок сыра и кувшин молока. Не успел Джек справиться с едой, как слышит: бух-бух-бух — шагает великан в сенях, так что дом трясётся.

— Боже мой, никак муженёк вернулся! — воскликнула жена огра. — Прыгай скорее сюда! — И спрятала Джека под печку.

В этот миг в кухню вошёл великан, какого и вообразить себе трудно; на поясе три телёнка висят, связаны за ноги. Бросил огр их на пол и говорит:

Ох-ох! Ух-ух!
Чую человечий дух!
Мёртвый ты иль не совсем,
Все равно тебя я съем!

— Не болтай глупости! — сказала ему жена. — Ты, видно, уже совсем спишь.

И стала готовить ему на ужин телятину. Ходит по кухне туда-сюда и заглянула незаметно под печку. А Джек там ни живой ни мёртвый от страха. Хотел наружу выскочить, а она ему не велит.

— Подожди, — говорит, — пока муж уснёт. Огры всегда после еды спят.

Изжарилась телятина, поел огр, подошёл к огромному сундуку, достал оттуда большой мешок с золотом и начал

считать. Считает, а сам носом клюет; и скоро захрапел так, что дом зашатался.

Услышал Джек его храп, вылез из-под печки, идёт мимо огра на цыпочках, а у того на коленях мешок с золотом. Взял Джек мешок тихонько, взвалил на спину, вышел из дому и бегом по знакомой тропе обратно.

Добежал до бобовой лесенки, глянул вниз – земля облаками затянута; бросил он всё-таки мешок с золотом за край неба и попал точно в огород своей матушки, а сам стал по лесенке спускаться. Ох и длинный был спуск! Долго ли, коротко ли, добрался наконец до дому, рассказал матушке про свои приключения и отдал ей мешок с золотом.

Обрадовалась матушка – не умрут теперь они с голоду. Одно плохо: узнал Джек про отца, спустится теперь огр с неба и сожрёт их обоих.

Немного погодя решил Джек опять лезть на небо по бобовой лесенке, надо ведь за отца отомстить. Переоделся, так что родная мать не узнала, и полез. Долго ли, коротко ли, вот уж он и на небе; пошёл по знакомой тропе к дому, где огр живёт. Вышла на крыльцо великанша и не признала Джека.

– Доброе утро, госпожа, – поздоровался он вежливо. – Будьте так добры, покормите меня.

– Уходи скорее отсюда, парень, – сказала великанша. – Вот вернётся мой муж и съест тебя!

Но от Джека так просто не отделаешься. Сначала великанша и слышать ничего не хотела, но он так жалобно просил хоть корочку хлеба, что великанша не выдержала и пустила его в дом; дала ему, как тогда, хлеба, сыру и кувшин молока. Только Джек стал есть, опять огр затопал в сенях, так что дом затрясся. Спрятала великанша Джека под печку, как в прошлый раз.

ДЖЕК И БОБОВЫЙ СТЕБЕЛЬ

Опять говорит огр, что чует человечий дух, опять жена отвечает, что поблазнило ему. На этот раз принёс великан с охоты быков. Стала жена огра готовить обед, и скоро на кухне вкусно запахло жареным.

Поел огр и говорит жене:

— Принеси мне мою курочку, что несёт золотые яйца.

Принесла жена курочку. А Джек из-под печки за ними подглядывает. Велит огр курице:

— Несись!

Курица и снесла ему золотое яичко. Оно так и вспыхнуло на солнце. Подождал Джек, пока людоед захрапит, выскочил из-под печки, схватил курицу и наутёк. Да не тут-то было. Только дверь открыл — курица как закудахчет! У Джека сердце в пятки ушло, но людоед не проснулся, только крикнул впросонках:

— Жена, что ты там делаешь с моей курицей?

Джек, само собой, не стал дожидаться, что жена огру ответит. Пустился во весь опор по тропинке, добежал до бобовой лесенки и спустился как можно быстрее.

Пришёл домой, показал матери чудесную курочку, велел ей нестись, она и снесла золотое яичко, как будто её огр попросил.

Может, ты думаешь, что Джек на этом угомонился? Ничуть не бывало. Он ненавидел огра и решил во что бы то ни стало отомстить ему за отца.

Встал он однажды пораньше и, не сказавшись, опять на небо полез. Лезет, лезет по бобовой лесенке, вот наконец и небо. Пошёл по знакомой тропе, дошёл до дома, где огр жил, и спрятался за скалой. А великанша как раз по воду пошла с огромной бадьёй. Воспользовался Джек случаем, вбежал в дом и спрятался, но не под печку, а в большой медный котёл.

ДЖЕК И БОБОВЫЙ СТЕБЕЛЬ

Недолго пришлось ему в котле ждать. Входит в дом великан, за ним его жена с бадьёй. Стал огр вертеть головой и принюхиваться:

Ох-ох! Ух-ух!
Чую человечий дух!
Мёртвый ты иль не совсем,
Всё равно тебя я съем!

— Эй, жена, человечьим духом пахнет. Говорю тебе, пахнет.

— Вот ведь напасть, — отвечает жена. — Эти мальчишки — сущее бедствие. Один у нас мешок с золотом украл, другой — твою любимую курицу. Если этот из их же компании, наверняка под печку спрятался.

Заглянули под печку, а догадливый Джек сидит в медном котле и помалкивает. Стали великаны искать его по всему дому. Устала жена, запыхалась и говорит огру:

— Вечно ты своё «ох-ох! ух-ух!». Видишь сам — никого нет.

Поискали ещё немного. Махнул наконец огр рукой и сел обедать. Поднёс ко рту ломоть хлеба — нет, невозможно есть, человечьим духом так и разит. Выскочил он из-за стола, все буфеты обшарил, все кладовки — никого! А в медный котёл не догадался заглянуть. Сел опять за стол, поел и кричит:

— Жена, неси мою золотую лютню!

Принесла ему великанша золотую лютню; блестит лютня так ярко, всю кухню золотым светом озаряет. Велит ей огр:

— Пой!

И запела лютня, да так нежно, так сладко; слушал огр, слушал и уснул.

Только великан захрапел, поднял Джек крышку котла и вылез тихонько наружу. Подполз к столу, встал на цыпочки, схватил золотую лютню и к двери — так быстро, как только мог. А лютня как закричит:

— Хозяин! Хозяин!

Тут уж огр проснулся, вскочил на ноги, да только и заметил, как лютня в дверях блеснула.

Бежит Джек быстрее ветра, а огр — за ним. Поймал бы его огр, как пить дать поймал, если бы в первый миг от удивления не замешкался.

Добежал Джек до бобовой лесенки, а огр уже в двух-трех скачках от него. Вдруг — что такое! Исчез Джек, как сквозь землю провалился. Огр даже рот раскрыл от изумления. Заглянул вниз, а Джек быстро-быстро руками-ногами перебирает, по зелёной лесенке на землю спускается.

Стоит огр на самом краю и голову ломает: что делать? А золотая лютня зовёт снизу:

– Хозяин! Хозяин!

Услыхал её огр, схватился за стебли и тоже стал вниз спускаться. Бобовая лесенка, конечно, согнулась под такой тяжестью.

Всё быстрей и быстрей спускается Джек, да и огр поспешает. Кричит Джек матери:

– Матушка, неси скорей топор! Неси скорей топор!

К счастью, мать услыхала, выскочила с топором из дому, глянула вверх и обомлела: торчат из облаков огромные великаньи ноги – сначала ступни, потом и колени высунулись.

Тут как раз Джек спрыгнул на землю, схватил у матери топор и ударил изо всех сил по бобовой лесенке. Чувствует огр, заколебались под ним зелёные плети. Ударил Джек ещё раз – рухнула наземь лесенка, а вместе с ней злой, жестокий огр упал замертво. Вот и пришёл конец людоеду, отомстил за отца Джек.

С тех пор зажили Джек с матерью богато и весело; была у них курица, которая несёт золотые яйца, и поющая золотая лютня. Женился Джек на принцессе; жили они долго, счастливей их не было никого во всём свете.

ПЕЩЕРА КОРОЛЯ АРТУРА

В глухой валлийской деревушке жил молодой человек по имени Эван. Зарабатывал он на пропитание тем, что помогал деревенскому пекарю. Но пекарь очень мало ему платил. И решил Эван покинуть родную деревню и пойти в Лондон — там-то он наверняка разбогатеет.

Ранним утром попрощался он с пекарем и пустился в дорогу. Был у него с собой каравай ещё тёплого хлеба да несколько шиллингов в кармане. Шёл он всё утро, шёл ходко, устал, проголодался и сел поесть хлеба в тени большой скалы у дороги. У самого подножия скалы рос молодой орех; срезал Эван с него крепкую, ровную ветку для посоха и пошёл дальше.

С посохом идти стало легче. Шагает Эван по дороге, весело насвистывает, и дошагал наконец до Лондона. Вошёл через городские ворота, каких много вокруг Лондона, и сразу двинулся к реке. Стоит на берегу, глазеет на корабли и лодки. Подходит к нему старичок, маленький, сгорбленный, с густой белой бородой почти до пояса.

Остановился и смотрит пристально на него.

Дивится парень, что это старик вздумал его разглядывать, и решил с ним заговорить.

— По-моему, Лондон — очень хороший город, — сказал он.

— Есть такие, кто так думает, есть, — ответил старик, покачивая головой. — А тебя что привело в этот очень хороший город?

— Я иду счастье искать. В Лондоне, говорят, можно разбогатеть.

Повернулся старик и вперился в него взглядом. Да так странно смотрит, Эвану даже не по себе стало. Помолчал старичок немного и говорит:

— Если хочешь разбогатеть, зачем так далеко шёл? Возвращайся к тому месту, где эту палку срезал, что у тебя в руке.

— Палку? А палка тут при чём?

— Палка при чём? Ты где её взял?

— А тебе какое дело? — буркнул Эван и пошёл было прочь: старик-то, верно, спятил.

— А такое, — медленно произнёс старик, — что спрятаны в том месте груды золота и серебра, чаши и блюда всякие, самоцветами выложенные.

— Золото, самоцветы! И я могу их найти?

— Можешь, конечно, если вернёшься туда, где срезал палку. Помнишь ореховый куст?

— Что растёт у подножия высокой скалы? Помню.

— Это не простая скала. Про короля Артура слыхал?

— Конечно слыхал. Многое рассказывают о великом короле и его рыцарях. Жили они когда-то в Уэльсе, да давно умерли.

— Не умерли, а спят. Уже сотни лет спят они в недрах этой скалы. А вокруг них — несметные сокровища.

У Эвана даже глаза полезли на лоб.

— Вот бы добраться до этих сокровищ! Скажи скорее, добрый старик, может ли простой смертный войти в ту скалу, где спит король Артур со своими рыцарями?

Старик ответил ещё медленнее:

— Может-то может, но не так это просто. Пожалуй, я сам пойду с тобой. Без меня тебе ни за что до сокровищ не добраться.

Обратная дорога в Уэльс показалась Эвану очень долгой. Старик шёл молча, не отвечая на расспросы, так что Эван больше ничего не узнал.

Пришли наконец на место, где Эван остановился первый раз по пути в Лондон.

— Вот он, куст, — сказал Эван и показал старику молодой орех. — Видишь, срез ещё свежий. Здесь я и срезал палку.

Поглядел он на скалу – гладкая, ни щели, ни трещины.

– Ступай за мной, – приказал старик. – И делай всё точно, как я велю, не то будет худо. Дело это опасное.

Раздвинул он ореховый куст, а там – расщелина. Вошли в неё и очутились в узком проходе. Посредине растопырился огромный серебряный колокол, на длинной цепи подвешен.

– Осторожно, – предупредил старик. – Смотри не задень.

Проскользнули благополучно; узкий ход привёл их в огромную залу. У Эвана даже дух захватило – такое странное открылось зрелище.

Зала была полна спящих рыцарей; в блестящих доспехах, опоясанные мечами, сидели они вокруг длинного стола и, казалось, были погружены в глубокий сон. Одни спали, уронив голову на стол, другие – откинувшись на спинку стула, два или три рыцаря почивали прямо на полу; в зале ясно слышалось их мерное дыхание. Эван стал высматривать среди них короля Артура; во главе стола в большом кресле с высокой спинкой восседал рыцарь, у которого и во сне был королевский вид. На столе поблёскивали золотые кубки, чаши, на мечах переливались изумруды и рубины.

– Можно, я возьму что-нибудь? – прошептал Эван.

– Нет, нет! К этим сокровищам нельзя прикасаться. Они должны оставаться здесь, покуда король Артур спит. Но взгляни, – махнул рукой старик, – здесь есть ещё кое-что. Это ты можешь взять.

И Эван увидел целую гору золотых и серебряных монет. Он так и ринулся к ним, но старик удержал его:

– Рыцари сейчас спят, но могут проснуться. И тогда тебе несдобровать. Пойдём обратно, смотри не задень

колокол. Услышат рыцари, проснутся, и живым не выйдешь.

— Не бойся, не задену.

— Не заденешь, если жадность не одолеет. А заденешь — загудит колокол, разбудит рыцарей, и они спросят: «Уже день?» — ты им бесстрашно отвечай: «Спите, ещё ночь». И они опять погрузятся в сон. А теперь прощай. Пора мне. Смотри не забывай, что я тебе сказал.

И старик исчез, как будто его и не было. Эван не мог понять, куда он делся, но не стал ломать голову — чего зря время терять?

Приблизился он к груде монет, взял пригоршню, полюбовался. Набил карманы — больше сыпать было некуда, — зачерпнул ещё две пригоршни и с досадой отвернулся: груда золота и не уменьшилась.

Пошёл он назад через зал, оглядывается на спящих рыцарей: боится выронить хоть монету, боится споткнуться и упасть, а пуще всего сокрушается, что так мало захватил золотых монет.

Наконец вышел из зала, рыцари всё продолжали спать. Двинулся, осторожно ступая, мимо колокола, тут одна монетка возьми и выскользни сквозь пальцы. Эван нагнулся за ней и задел плечом колокол.

Глубокий, чистый звук наполнил пещеру. Два рыцаря подняли головы. Эван с ужасом увидел, как они медленно поднимаются со своих стульев.

— Уже день? — спросил один сонным голосом.

— Спите, ещё ночь, — быстро промолвил Эван.

Рыцари сейчас же опустились на стулья, и веки у них опять смежились.

Гул колокола затих, Эван слышал только мерное дыхание спящих рыцарей и громкий стук собственного сердца. Наконец добрался он до выхода из пещеры и не помня

себя выскочил наружу. Разжал ладони, и на землю упали тяжёлые круглые монеты. Вывернул карманы и как завороженный смотрел на рассыпанное золото.

— Вот оно, богатство! Здесь столько, что хватит жить в довольстве до конца дней.

Выстроил Эван на золото короля Артура большой, крепкий дом и стал жить припеваючи, не отказывая себе ни в чём. Золото быстро таяло, но он утешал себя тем, что всегда может вернуться в пещеру короля Артура и набрать золота сколько душе угодно.

Прошло года три; половины монет не стало, и Эвану всё чаще мерещилась золотая гора у ног короля Артура.

— Ах, как мало золота взял я тогда! — попрекал он себя. — Но ведь некуда было сыпать, кроме карманов. Надо вернуться туда с целым мешком, нет, даже с двумя мешками.

Так манила его пещера короля Артура, что решил он не ждать, пока иссякнет всё золото. Сел утром на коня, взял с собой два больших мешка, много всякой снеди и поскакал к той скале. Скачет он на вороном коне и вспоминает тот дальний день, когда отправился пешком в Лондон на поиски счастья: был у него с собой каравай ещё тёплого хлеба да несколько шиллингов в кармане.

Прискакал он к скале, нашёл вход в расщелину, осторожно, бочком проскользнул мимо колокола и опять очутился в огромной зале. Там всё было как три года назад. Король Артур и его рыцари всё так же спали богатырским сном, а гора золота и серебра ничуть не уменьшилась.

Сунул Эван руку в эту гору тяжёлых холодных монет и стал горстями сыпать их в свои мешки. Вот счастье-то — богаче его теперь никого не будет во всём свете. Наконец наполнил мешки, а они такие тяжёлые, что от пола не оторвёшь, — волоком тащить и то трудно. Делать, однако, нечего – выволок Эван мешки из зала, присел на минутку отдохнуть, отдышаться не может.

Вдруг почудилось ему – один рыцарь шевельнулся.

«Скорей надо ноги отсюда уносить», – подумал Эван. И опять поволок мешки. Осталось только колокол миновать. Так и эдак пытался Эван просунуться и задел всё-таки одним мешком серебряный колокол.

Громко загудел колокол, сильнее, чем в прошлый раз. Казалось, вся скала наполнилась гулом. Сразу десять рыцарей подняли головы.

– Уже день? – вскричали они.

– Нет, нет, – закричал Эван, – ещё не день!

Позабыл от страха, какие слова надо сказать.

Бросились на него рыцари и давай бить. Били, били, ни одной целой косточки не оставили. А потом взяли и выбросили из пещеры. Сколько времени Эван лежал без сознания, не помнит. Очнулся, рад, что жив остался, сел кое-как на коня и поскакал домой.

С тех пор и стала у него одна нога короче другой. Скоро все деньги вышли, и пришлось ему опять браться за работу. Никогда больше не наведывался Эван в пещеру короля Артура. Мирно спят в ней рыцари и по сей день, а вместе с ними спят их несметные сокровища.

ТАМЛЕЙН

Давным-давно жила в отцовском замке прекрасная Джанет. Отец её, граф Марчский, был богатый и могущественный лорд.

День-деньской сидела она со своими подружками в высокой башне и вышивала шёлком. Скучно ей сидеть, нет-нет и глянет прекрасная Джанет в окно. А там густой Картергафский лес так и манит погулять по зелёным дубравам. Но девушкам строго-настрого запрещалось ходить туда: в том лесу охотились рыцари-духи из свиты королевы эльфов. А водиться с эльфами, говорят старые люди, очень опасно.

В один ясный, солнечный день надоело прекрасной Джанет сидеть за пяльцами. Соскользнуло у неё с колен шитьё, подошла она к окну да и уронила иголку на землю. И, никому не сказавшись, убежала в лес.

Гуляет прекрасная Джанет среди высоких деревьев, глядь, красавец конь к дубу привязан. Белый как молоко и покрыт золотой попоной. Налюбовалась им Джанет и пошла дальше. Видит, на лужайке розовый куст весь усыпан цветами. Сорвала Джанет розу, откуда ни возьмись вырос перед ней статный, красивый юноша.

ТАМЛЕЙН

— Зачем ты сорвала розу, прекрасная Джанет? Зачем цветок погубила? — спрашивает он девушку. — Как смела войти в Картергафский лес без моего позволения?

— Я могу рвать цветы где хочу, — гордо тряхнула головой Джанет. — Не ты хозяин Картергафского леса. Чего ради спрашивать твоего позволения?

Услыхав этот дерзкий ответ, молодой рыцарь весело рассмеялся, зазвенел девятью колокольчиками, что висели у него на поясе, и повёл с девушкой ласковую беседу.

Весь день танцевала Джанет с юным Тамлейном на зелёных лужайках. И чудилось ей — играет нежная музыка и чей-то голос поёт:

Прекрасна милая Джанет,
Прекраснее на свете нет.
Одну её лишь я люблю
И о любви молю.
Любовь моя, милый дружок,
Чиста и свежа, как майский цветок.

ТАМЛЕЙН

Стало смеркаться, и прекрасная Джанет заторопилась домой: вдруг отец её хватится? Вбежала в ворота замка, ступила на порог залы: что такое? Ноги не идут, как свинцом налились.

А в зале её подружки, двадцать четыре фрейлины, играют в мяч. Смотрят они на Джанет и диву даются: что с Джанет случилось? — бледная, измождённая, точно подменили её.

Назавтра сели подружки за шахматы, а прекрасная Джанет съёжилась в кресле, поникшая, печальная. Так бы и выпорхнула сейчас в окно, полетела в Картергафский лес, где ждут её молодой рыцарь, нежная музыка и весёлые танцы на лесных лужайках.

— Увы, прекрасная Джанет, — заговорил один старый рыцарь, — боюсь, танцевала ты вчера с эльфом, да и приворожил он тебя. Узнает твой отец, граф Марчский, — не миновать нам его гнева. Попомни мои слова, дружба с эльфами хорошего не сулит.

— Замолчи сейчас же! — крикнула прекрасная Джанет и залилась слезами. — Мой рыцарь — земной юноша. Прекраснее жениха не было ни у одной девушки.

Конь моего жениха
Быстрее ветра летит.
Уздечка его — серебро,
Грива златом горит.

Но хотя прекрасная Джанет так смело возразила старому рыцарю, в глубине души она и сама боялась: вдруг юный Тамлейн — эльф из Картергафского леса?

Нет больше сил у прекрасной Джанет сносить разлуку, махнула она рукой и убежала снова в Картергафский лес — будь что будет. Идёт по лесу, то ветку

ТАМЛЕЙН

сорвёт, то за цветком нагнётся. Где ты, весёлый рыцарь Тамлейн?

А он тут как тут, вышел из-за розового куста.

— Скажи мне, юный Тамлейн, — говорит ему девушка, — земной ты человек или эльф из Картергафского леса?

— Не бойся, прекрасная Джанет, — отвечает Тамлейн. — Не эльф я, хоть и живу при дворе королевы эльфов. Отец мой — благородный рыцарь, и рождён я земной матерью.

Сели они на лужайке, и поведал ей Тамлейн свою историю:

В замок к себе меня взял
Роксбург, мой старый дед.
Раз на охоту я поскакал,
Нарушил его запрет.

Холодный вихрь вдруг налетел,
И я с коня упал,
Непробудный сон меня одолел,
Долго в лесу я спал.

Королева эльфов меня унесла,
С тех пор я её вассал.

— Легко и весело жить в стране эльфов, — продолжал Тамлейн. — Королева любит меня, придворные оказывают почести. Земной человек мог бы вечно жить с эльфами, если бы не грозила ему опасность.

— Какая опасность? — спрашивает прекрасная Джанет.

— Скоро семь лет, как живу я у эльфов. Но только вчера узнал, что раз в семь лет королева платит дань страшным троллям. Боюсь, что отправят меня скоро на съедение горному королю.

ТАМЛЕЙН

— А как спасти тебя, Тамлейн?

— Одно скажу — спасти меня может девушка, которая не боится чар королевы эльфов.

— Я не боюсь. И вот увидишь, спасу тебя. Только скажи, как это сделать.

— Не очень-то легко. Да и медлить нельзя. Сегодня ночью соберутся в Картергафский лес эльфы и феи, будут веселиться, танцевать и скакать на своих волшебных конях. Если хочешь спасти меня, выходи в полночь на развилку Майлз-кросс, что на дальней опушке леса. Там стоит каменный крест. Очерти рядом круг, встань в него и жди моего появления.

— А как я узнаю тебя? Там ведь будет много рыцарей.

— Только пробьёт полночь — поскачет свита королевы эльфов. Но ты не бойся, они тебя не заметят.

> *Сперва вороные поскачут,*
> *Гнедые следом пойдут,*
> *Я на молочно-белом.*
> *Смотри, дружок, не забудь!*

> *Конь твоего жениха*
> *Быстрее ветра летит.*
> *Уздечка его — серебро,*
> *Грива златом горит.*

И ещё запомни: на короне моей звезда — знак, что я земной рыцарь. Как узнаешь меня — хватай коня за уздечку. Соскочу я на землю, а королева громко воскликнет: «Похищен честный Тамлейн!» Ты уздечку брось, хватай скорее меня и держи крепко-крепко. Я скинусь ящерицей, змеёй, потом оленем. Буду рваться у тебя из рук, а ты держи, не выпускай. Наконец превращусь я в раска-

ТАМЛЕЙН

лённый железный прут. Больно будет ладоням, всё равно держи.

> *Тогда заклятье эльфов падёт —*
> *Я снова рыцарь земной!*
> *Напрасно меня королева зовёт,*
> *Напрасно шлёт пака за мной.*

> *Умчимся с тобою в замок к отцу,*
> *Мои злоключенья подходят к концу.*

Сказал эти слова юный Тамлейн и исчез, как растаял. Идёт Джанет одна по лесу, и чудится ей — играет нежная музыка и чей-то голос поёт:

> *Прекрасна милая Джанет,*
> *Прекраснее на свете нет.*
> *Одну её лишь я люблю*
> *И о любви молю.*

> *Любовь моя, милый дружок,*
> *Чиста и свежа, как майский цветок.*

В третий раз убежала Джанет украдкой в Картер-гафский лес. Пришла на развилку Майлз-кросс в глухую полночь, очертила круг у каменного креста, встала в него и ждёт.

> *Вдруг чудится ей уздечки звон*
> *В глухой ночной тиши.*
> *Всё ближе и ближе слышится он,*
> *К ней юный рыцарь спешит.*

ТАМЛЕЙН

Как Тамлейн сказал, так всё и вышло. Скачут эльфы на вороных конях, следом скачут гнедые. Вот наконец и рыцарь на белом коне.

В короне его звезда,
Конь как вихрь летит,
Уздечка из серебра,
Грива златом горит.

Схватила Джанет коня за уздечку, и пронёсся по лесу нечеловеческий вопль:
— Похищен честный Тамлейн!

Держит Джанет любимого крепко-крепко. А он то ящерицей обернётся, то змеёй, то оленем; вот-вот из рук вырвется. Из последних сил держит его прекрасная Джанет. Вдруг зашипел у неё в руках раскалённый железный прут, она и тут рук не разжала. Прошептала только:
— Не стерплю, брошу — навсегда потеряю Тамлейна.

И вот уж он у неё в руках
Стал человеком земным.
Напрасно его королева зовёт,
Напрасно шлёт пака за ним.

Вздохнула она печально
В тёмной чаще лесной:
— Ах, какое несчастье!
Похищен рыцарь земной.

Гневается королева,
Как её не понять,
Похищен рыцарь прекрасный,
Ей уж его не видать.

ТАМЛЕЙН

— Прощай, Тамлейн, прощай! — крикнула ему вслед королева. — И помни: знай я вчера, что знаю сегодня, обратила бы твоё сердце в камень; знай я вчера, что знаю сегодня, обратила бы твои ясные очи в лесные гнилушки! Ах нет, Тамлейн, не слушай меня! Знала бы я вчера, что знаю сегодня, я бы всемеро больше отдала горному королю, только бы ты всегда был со мной!

Прокричала эти слова королева эльфов и умчалась в лес со своей свитой.

А прекрасная Джанет привела Тамлейна к отцу, рассказала, как спасла юного рыцаря от чар могущественной королевы. Устроил граф Марчский молодым пышную свадьбу.

Жили они долго и счастливо и умерли в один день.

УДК 398
ББК 82.3(3)
В69

Перевод с английского М. Литвиновой
Художник А. Иткин

В69   **Волшебные сказки Англии** / [пер. с англ. М. Литвинова; худ. А. Иткин]. — М. : РИПОЛ
классик, 2014. — 40 с. : ил. — (Любимые книги детства).

ISBN 978-5-386-07601-6

Литературно-художественное издание
Для среднего школьного возраста
Любимые книги детства

Волшебные сказки Англии

Генеральный директор издательства *С. М. Макаренков*

Директор редакции *Т. Мантула*
Выпускающий редактор *Л. Данкова*
Компьютерная вёрстка: *Д. Лапицкий*
Корректор *И. Попова*

Знак информационной продукции согласно
Федеральному закону от 29.12.2010 г. № 436-ФЗ

Подписано в печать 20.05.2014 г.
Формат 215х287. Гарнитура «KorinnaC». Усл. печ. л. 5,0
Тираж 25 000 экз. Заказ № 1614

Адрес электронной почты: info@ripol.ru
Сайт в Интернете: www.ripol.ru

ООО Группа Компаний «РИПОЛ классик»
109147, г. Москва, ул. Большая Андроньевская, д. 23

Отпечатано в Китае

ISBN 978-5-386-07601-6   ООО Группа Компаний «РИПОЛ классик», 2014